DEWI SANT

Siân Lewis

LLUNIAU GAN ROGER JONES

GOMER

Dewi Sant yw'r bachgen hwn.

Mae e eisiau mynd ar daith gyda'i ffrindiau, y mynachod.

'Ga i ddod gyda chi?' meddai Dewi.

'Na, Dewi,' medden nhw. 'Dim heddi. Rydyn ni'n mynd i siarad â'r bobl am Iesu Grist.'

'Ond rydw inne eisiau gwneud hynny hefyd,' meddai Dewi.

'Rwy am sôn wrth bawb am neges Iesu Grist.'

Mab i Sant, brenin Ceredigion, oedd Dewi. Non oedd ei fam.
Bob dydd roedd Dewi'n dysgu am Iesu mewn mynachlog
yn Henfynyw. Roedd e'n dysgu darllen ac ysgrifennu hefyd.
'Rwyt ti'n fachgen arbennig iawn, Dewi,' meddai'r plant
eraill wrtho.

'Pam?' meddai Dewi.
'Achos mae colomen wen yn hedfan uwch dy ben di o hyd,'
atebodd y plant.

Pan oedd Dewi'n hŷn, aeth e i fynachlog Tŷ Gwyn at
athro da o'r enw Peulin.
Roedd Peulin yn hen ac yn ddall.
Rhoddodd Dewi ei ddwylo ar lygaid yr hen ŵr.

Agorodd Peulin ei lygaid yn syn. Roedd e'n gallu gweld!
'Diolch am fy helpu i, Dewi,' meddai Peulin. 'Nawr fe gei
di adael y fynachlog. Daeth yr amser i ti helpu pawb drwy
sôn am Iesu Grist.'

Roedd Dewi wrth ei fodd.
O'r diwedd roedd e hefyd yn
mynd ar daith.

Yn ei wisg o groen â'i
ffon yn ei law cerddodd
Dewi'n bell drwy haul
a gwynt a glaw.
Ble bynnag roedd e'n
gweld pobl, roedd e'n
aros i siarad â nhw.

8

'Pwy yw Iesu Grist?' gofynnodd y bobl.
'Iesu Grist yw mab Duw,' meddai Dewi.
Cododd Dewi eglwysi lle gallai'r bobl ddod i addoli Duw.

Aeth Dewi i Glyn Rhosyn.
Yno roedd tywysog ffyrnig o'r enw Boia yn byw.

'Mae Duw wedi dweud wrtha i
am godi mynachlog yma,' meddai Dewi.
Doedd Boia ddim yn fodlon o gwbl.
'Ha!' chwyrnodd. 'Fe anfona i fy milwyr i ddychryn Dewi.'
Ond allai milwyr Boia ddim gwneud drwg i Dewi Sant.

11

Cododd Dewi ei fynachlog yng Nglyn Rhosyn.
Yno roedd e'n byw gyda'r mynachod eraill.
Roedd e'n gweithio ar y tir.
Roedd e'n helpu'r bobl dlawd a'r bobl sâl.

Roedd e'n siarad â'r bobl am Iesu Grist
ac yn gweddïo.
Dŵr, bara ac ychydig o lysiau oedd ei
unig fwyd. Doedd e ddim eisiau dim
byd gwell.

13

Un diwrnod aeth Dewi i bentref bach Brefi.
Roedd llawer o bobl wedi dod yno i sôn am Iesu Grist
ac i wrando. Ond roedd gormod o sŵn! Doedd dim
posib clywed gair.
'Cer di i siarad â nhw, Dewi,' meddai ei ffrindiau.
Siaradodd Dewi ac roedd ei lais yn glir fel
utgorn. Cododd y tir o dan ei draed.
Nawr roedd pawb yn gallu gweld a chlywed
Dewi Sant.

Ar Fawrth y cyntaf bu farw Dewi Sant.

'Rydw i am i chi fod yn hapus,' meddai wrth ei ffrindiau, 'ac rydw i am i chi gredu yn Nuw.'

Heddiw mae Eglwys Gadeiriol Tyddewi yn sefyll ar y man lle roedd mynachlog Dewi.

Rydyn ninnau'n hapus ar Fawrth y cyntaf wrth gofio am Dewi Sant.